किन्तु-परन्तु

(एक अकवि का पहला और आख़िरी एकल कविता-संग्रह)

किन्तु और परन्तु कोरे शब्द नहीं
प्रश्न उठाते हैं भ्रष्ट व्यवस्था पर
चेतो इन इशारों पर ऐ रहबरो !
देखो क्योंकर नाच रही हैं आँधियाँ।

परमेश्वरी प्रकाशन
प्रीत विहार, दिल्ली

किन्तु / परन्तु

सुदर्शन कुमार चेतन

ISBN—978-81-88121-83-0

प्रकाशक
परमेश्वरी प्रकाशन
बी-109, प्रीत विहार
दिल्ली-110092

प्रथम संस्करण
2007

आवरण
निर्दोष त्यागी

मूल्य
एक सौ पच्चीस रुपये

मुद्रक
बी०के० ऑफसेट
नवीन शाहदरा, दिल्ली-110032

KINTU - PARANTU (Poetry in Hindi)
by Sudarshan Kumar Chetan
Price : Rs. 125.00

धर्मनिष्ठ स्वर्गीय द्वै—
सत्य, सिद्धांत व सात्त्विकता की प्रतिमूर्ति
शास्त्राचार्य पिता गोस्वामी गिरिधर लाल वैद
एवं
व्यवहार-निपुण, चतुर-सुजान
माता लक्ष्मीबाई उर्फ़ लख्मों
को श्रद्धास्वरूप समर्पित;

वे बेचारे दोनों नहीं जानते थे कि मैं क्या-क्या ख़ुराफ़ातें करता हूँ।

—वर्ष में केवल 3 दिन आस्तिक उनका कनिष्ठतम
सुदर्शन कुमार चेतन

भूमिका

कविता में कवि की आत्मा को ढूँढ़ता हूँ। स्वभाव है मेरा। कारण, इसकी आत्मा में कई आत्मीयताएँ समाविष्ट एवं संश्लिष्ट होती हैं। वे आत्मीयताएँ वैयक्तिक, पारिवारिक, सामाजिक, आर्थिक, राजनीतिक तो होती ही हैं; व्यक्तिगत भी होती हैं। वैयक्तिक से भिन्न व्यक्तिगत से तात्पर्य है—कवि का निजी प्रेम, घृणा, उलाहने, संघर्ष आदि संचारी भाव। जहाँ ये आत्मीयताएँ नहीं होंगी वहाँ कविता का वजूद अथवा कवि का आत्मतत्त्व होगा ही नहीं, केवल शब्दाडंबर होगा।

सनद रहे, यह मेरा विचार है और कविता से मेरा अभिप्राय मुक्त छंद कविता ही नहीं, गीत-ग़ज़ल तथा छंदोबद्ध रचना से भी है।

वर्ष 1948 से 1960 के मध्य के बारह वर्षों में ये वजूद पा गई कविताएँ मेरे गुणी बिरादर मित्र श्री सुदर्शन कुमार चेतन के पूर्ण यौवन काल (बीस-तीस के बीच की उम्र) में रचित हैं और कुछ 1960 से 1980 के मध्य के बीस वर्षों में लिखी गई कविताएँ उत्तरकालीन कही जानी चाहिए। उत्तरकालीन इन कविताओं में कालगति को उपेक्षित करके विषयवस्तु की भिन्नता और खिलवाड़ ज़्यादा मुखरित हुए हैं। आरंभ काल की कविताओं में प्रेम पगता रहा है तो उत्तर काल की कविताओं में आधुनिकता का कोरा 'फ़्रेम' समक्ष रहा है।

प्रेम-प्यार एक सतत सत्य है। हो यह चला है कि या तो हम उसे आयु के मात्र यौवन काल का सत्य मान लेते हैं तथा आयु के शेष भाग को सांसारिक अनुभवों के यथार्थ का मलबा सरीखा मान लेते हैं। या तो हम खिल्ली उड़ाते हैं उन कोमल भावनाओं की या उस छोटी उम्र की वैयक्तिक भावुकता को जीवन के कठोर यथार्थ के दबाव से मार देते हैं। अथवा विज्ञानयुगीन भौतिक सुख-सुविधाओं की प्राप्ति में संघर्षरत रहते बुढ़ा जाते हैं—शरीर से लाज़िमी तौर पर, मन से भी बल्कि ऐन्द्रियता से भी शिथिल या संकोची हो जाते हैं। इसलिए गीतों-छंदों में भी अभिव्यक्त तत्कालीन भावनाओं को लिजलिजी भावुकता मानकर जीवन-सत्य को—उस सत्य को जो भाव रूप में मनोजगत् में सतत रहता है—उस प्रेम-प्यार को रचना का मसाला मानकर शब्दबद्ध कर लेते हैं और

सुनाने लगते हैं 'अनगिन सागर उमड़ पड़े हैं', वे घुमड़ते बादलों-से बरस पड़ते हैं, रूप की पायलें छनक पड़ती हैं।

प्रेम में दो दशाएँ प्रमुख होती हैं–समीपता और दूरी। रस-सिद्धांत की भाषा में–संयोग और वियोग। प्रेम शृंगार रस का सौंदर्य व मिठास होता है। जैसे यथोचित ताप पाकर फल रसीला हो उठता है। यह ताप विरह की अग्नि से उद्दीप्त होकर वेदना या दर्द से उत्पीड़ित करता है। जब दर्द हद से पार होने लगता है तो कवि की काव्यात्मा पुकार उठती है–'मुझे वेदना और न देना, सीमा से बढ़ जाएगी/और गरल बनकर जीवन को क्षण-भर में ले जाएगी'।

'भावुक क्षणों में' एक ऐसी सटीक प्रेम कविता है, जिसमें 'कोई' उपमेय-प्रिय चुपके से आया और अनेक उपमानों से अलंकृत-झंकृत करता वापस मुड़ चला–निरुपमेय हो गया। इसे पढ़ते समय शैली के नाते एक फ़िल्मी गीत की उपमानों की भरमार पंक्तियाँ झलक जाती हैं–'इक लड़की को देखा तो ऐसा लगा जैसे खिलता गुलाब, जैसे बारिश में धूप'–वग़ैरह।

हालाँकि उक्त फ़िल्मी गाना बहुत बाद की रचना है–कदाचित् 70वें दशक की, जबकि कवि सुदर्शन कुमार चेतन की संगृहीत कविताएँ और गीत-ग़ज़लें बीते पचास के दशक की हैं। क़रीब-क़रीब इसी शैली की और एक कविता है 'ज़ंजीर', जिसमें अजंता की तस्वीर कभी पाँवों की ज़ंजीर, कभी फूलों से महकी डाल इत्यादि–अनेक उपमान जैसे जड़े हैं। नक़ल को लेकर शक किया जा सकता है, लेकिन यहाँ शक कवि चेतन पर नहीं। यह तो सिद्ध हो जाता है कि विभिन्न कवियों की प्रतिभा अजाने आगे-पीछे एक राह भी पकड़ लेती है और हम उसे अनुकरण या नक़लनवीसी समझने की ग़लती कर बैठते हैं। यहाँ ऐसी कोई शंका नहीं, सनद रहे।

संग्रह की 'नया सवेरा' कविता दृश्य-बिंब के दर्शन कराने में वर्ष 1955 के समय की अद्भुत प्रस्तुति है–'मुझको मेरे सपने रोज़ जताते हैं/इस धरती पर नया सवेरा आना है' इत्यादि उम्मीद जतलाने के पचास बरस बाद भी वस्तुगत हालात बदतर हैं। सवेरा ख़ास वर्ग तक सीमित हो सकता है, सामान्य जन तक तो फैला भ्रष्टाचार का अँधेरा है–'नंगे बालक' नई सदी में भी कूड़ा बटोरते नज़र आते हैं। आत्मीय स्मृति से उठकर समाज की स्मृति में पहुँचाती है यह कविता।

'आस' कविता में कवि पुनः अपनी आत्मीय प्रेम-गुहा में पहुँचकर

'अंधकार' के एक दिन नष्ट हो जाने की उम्मीद बँधाता है—'चार दिन के बाद जिसका लोप निश्चित/उस अँधेरे का हमें कुछ ग़म नहीं है/शबनमी किरणों में हम-तुम फिर मिलेंगे'।

'प्यार' शीर्षक कविता में जो अनिश्चयवाची सर्वनाम है उसमें किसी नाम विशेष को ढूँढ़ना सार्वजनिक विषय या कर्म नहीं होता, उसमें प्रेम की निर्वैयक्तिक चाह सर्वत्र लागू हो जाती है—लौकिक व अलौकिक दोनों पात्रों पर—तभी तो कविता आत्मपरकता से ऊपर उठकर अध्यात्म लोक तक धूम्र ध्वज-सी बल खाती फैल जाती है। इस प्रकार की आत्मपरक कविताएँ सुदर्शन जी के रचना-संसार में बहुल हैं।

'यह सुबह' नामक कविता एक ऐसी दुनिया में ले चलती है, जिसे हम बाज़ारवादी आधुनिक संवेदनशून्य हो रहे वक़्त में देखना-पाना चाहते हैं। प्रेम-प्यार-प्रकृति-संस्कृति में सराबोर होने की चाह को या पुनः अतीत में लौटने की इच्छा को चेतन जी की कविताएँ जगा देने में सक्षम हैं। ऐसी कविताएँ वांछनीय हैं, पठनीय हैं।

क्योंकि संकलित शुरू की कविताएँ गत सदी के पचासवें दशक में रची गई थीं, इसलिए तत्कालीन छायावादी बिंब विधान हम इक्कीसवीं सदी में भी पाठक को सुनहरे व्यतीत का स्मरण कराते हैं—'ले चल मुझे भुलावा देकर' की माँग की अपेक्षा कराते हैं। 'रात छुपकर खड़ी वृक्ष की ओट में/जैसा जोहा करे मीत को उम्र भर/शब्द आँखों में हों, शब्द साँसों में हों/होंठ हिलकर मगर बोल पाएँ नहीं' और 'खेतों की धानी चूनर पर मोती चमक गए'—कहीं पर महादेवीयन प्रेम की रहस्यमयी झलक दिख जाती है—'लेकिन रूप तुम्हारा अजब पहेली है, एक झलक दिखलाकर छुप जाती माया···सच पूछो तो इस दुनिया के गुंबद में, मैंने तुमको बारंबार पुकारा है'।

कुछ कविता के लबादे में ऐसे 'फुटेज' भी हैं, जिन्हें देख-पढ़कर निराला के 'कुकुरमुत्ता' संग्रह की हलकी-फुलकी कविताएँ गोचर हो आती हैं—हालाँकि उन्हें भी कविता माना गया। वैसा मानने वालों में ज़्यादातर वामपंथी रुझान वाले रहे हैं और वे निराला की प्रसिद्धि को अपने पक्ष में भुनाना चाहते रहे हैं। इसलिए भी कविता में उनकी गिनती कर ली गई है कि महाप्राण निराला 'राम की शक्तिपूजा', 'तुलसीदास', 'बादल राग', 'सरोज स्मृति' जैसी महान् रचनाएँ पहले ही लिख दे चुके थे।

चेतन जी के संकलित गीत, चंद ग़ज़लें व लयबद्ध कविताएँ भी रोचक हैं, पठनीय हैं, गेय हैं; कवि के रुझान, वैविध्य को प्रमाणित करती हैं—क्योंकि वे सुपाठ्य हैं, गेय भी हैं और तुरंत ज्ञानेन्द्रियजनित शब्द न्यास का अवबोधन कराती हैं, जबकि—'शब्द आँखों में हों, शब्द साँसों में हों' और साथ में 'जीने को सपनों का बड़ा सहारा' हो।

जो मेरे देखने-पढ़ने में नहीं आया उस पहले संग्रह 'प्रयास के पंख', जिसके कुछेक गीत इस संग्रह में भी लिए गए हैं—के बाद यह दूसरा संग्रह 'किन्तु-परन्तु' एक कवि की आत्मा को निश्चय ही समेटे है।

—श्याम विमल

विमल वाटिका
बी-96, सेक्टर 26
नोएडा-201301

कहाँ से चले, कहाँ ठिकाना है
न देखा आदि न अंत जाना है।
हम न जान सके दुनिया को तो क्या
दुनिया ने कहाँ हमको पहचाना है।

हाल-ए-दिल कहूँ दिल खोल

बात ग़ाज़ियाबाद की है। मैं और जाने-माने कहानी लेखक से०रा० यात्री हापुड़ रोड पर, ओ०पी० गर्ग के 'वर्तमान साहित्य-कार्यालय' की ओर, ख़रामाँ-ख़रामाँ चले जा रहे थे। कोई प्रसंग आया कि यात्री एकदम रुके, मेरी ओर घूमे और बोले, 'यार ! तुम अपनी आत्मकथा क्यों नहीं लिखते ?' मैं भी रुका, मुस्कराया और फिर बोला, 'क्यों मुझे पिटवाते हो महाराज ! हालत यह है कि मेरा पूरा जीवन अनेक ख़ानों में इस तरह बँटा हुआ है कि एक ख़ाने के लोग मेरे दूसरे ख़ाने के बारे में रत्ती-भर भी नहीं जानते। नतीजा यह होगा कि हर एक ख़ाने वाला दूसरे ख़ाने की बात को झूठ का पुलिंदा मानेगा और जूता लेकर मेरे पीछे पड़ जाएगा। सबसे आगे मेरी अपनी बीवी··· ।'

मेरा उपरोक्त कथन बिना लाग-लपेट के, शपथः, सत्य है। मरते दम तक मेरे माता-पिता, सारे सगे-संबंधी यह तक नहीं जानते थे कि मैं लिखता भी हूँ, सिवाय मुंबई वाले मँझले भाई के कि जिनकी मार्फ़त मैं बलराज साहनी से, उनकी जीवनी पर आधारित उपन्यास की बात करने के लिए, दिल्ली में भीष्म साहनी जी के निवास पर मिला था, या जिनके सामने सिने स्टार राजेंद्र कुमार से फ़िल्म के लिए एक कहानी की चर्चा हुई थी। पिता वेद-उपनिषदपाठी और मैं दास कैपिटल व समाजवादी साहित्य का। कर्मकांडी ब्राह्मण एवं ग़ैर हिंदुओं को चाय तक अलग बरतनों में देने वाले कट्टर सनातनधर्मी परिवार से होते हुए भी खान-पान और मैत्री मुसलमानों, सिखों व ईसाइयों से अधिक थी। पूजा-पाठ तो था ही नहीं, अधिकांश समय कामरेड जगत और शिवराज सिंह त्यागी जैसे नास्तिकों का सत्संग ! मेरे हिंदी व उर्दू के अत्यंत क़रीबी साहित्यकार मित्र

कभी नहीं जान पाए कि मैं अपने बचपन के तीन घनिष्ठ मित्रों के साथ हाफ़-टाइम में वापसी बेच या ख़रीदकर लोफ़रों की तरह फ़िल्में भी मुतवातर देखता था। दूसरी ओर ये तीनों मित्र ऐसा तो ज़रूर जान गए थे कि मैं कविता-कहानी लिखता हूँ, पर कभी किसी ने कोई रचना न पढ़ी न देखी। पारिवारिक परिचितों के अतिरिक्त कोई नहीं जानता था कि मैं मूल रूप से किस जाति या प्रदेश का हूँ। आज स्वयं मुझे ही आश्चर्य होता है कि कभी एक नैतिक ज़िम्मेदारी निभाने के लिए नक़ली दाढ़ी-मूँछ लगाकर डॉ० नरेन्द्र चौधरी के सप्त सिंधु प्रकाशन की छह पुस्तकों के पचास सेट दिल्ली आते-जाते ट्रेन में बेचे, जिसका आभास तक मेरे सहयात्री मित्रों तक को नहीं हुआ। आज भी नगर के अनेक लोग चौंक उठेंगे अगर मैं बताऊँ कि 'हिंदी भवन' का तथा हिंद-चीन मैत्री संघ या हिंद-रूस मैत्री संघ की ग़ाज़ियाबाद यूनिट का संस्थापक जनरल सेक्रेटरी एवं मनोहरी विद्या मंदिर का संस्थापक कार्यकारिणी सदस्य था। अपना तो चलन रहा कि काम शुरू किया, जब चल गया तो आगे बढ़ लिए। धुर बात यह कि मेरी पत्नी तक यह नहीं जानती थी कि···

ख़ैर, छोड़िए इस क़िस्से को, लंबी दास्तान है। अपने ही ढंग से ज़िंदगी में इतना कुछ कर लिया है कि अब स्वयं आश्चर्य होता है। फ़िल्मों से जुड़ा, नाटक किए, लेखन, पत्रकारिता, चित्रकारी, छायांकन, देश के हर कोने का नाना बार पर्यटन, नैनीताल माउंटेनियरिंग संस्थान से ट्रेनिंग लेकर हिमानियों और दर्रों का आरोहण, वन्य जीवों को उनकी आदिम अवस्था में देखने व वनस्पति ज्ञानार्जन हेतु घोर वन-क्षेत्रों की अनेक यात्राएँ, ट्रेड यूनियन, साहित्यिक कार्यक्रमों के आयोजन, संस्थाओं के गठन व नेतृत्व आदि बहुत कुछ किया।

मज़े की बात यह है कि वर्षों बाद, अभी हाल ही में पत्रकार एवं उपन्यास लेखक दुर्गाप्रसाद शुक्ल ने भी वही आग्रह दोहरा डाला है जो कभी यात्री जी ने किया था। मगर ये क़िस्से फिर कभी, अभी मैं केवल अपनी साहित्यिक गतिविधियों की ही एक भागमभाग तस्वीर पेश करता हूँ।

लाहौर की बात है। बहुतों के साथ जो हुआ वही मेरे साथ भी हुआ कि सातवीं-आठवीं में पढ़ते हुए गली के अपने एक मित्र सुरेन्द्र पाल मेहता के साथ 'चच्चा छिकन' की कहानियाँ, शौकत थानवी व हाजी मिर्ज़ा बेग के उर्दू मज़ाहिया पढ़ते-पढ़ते जासूसी नॉवेल पढ़ने ही नहीं, दोनों ने मिलकर लिखने की शुरुआत भी कर दी। मगर ऐन तभी देश-विभाजन की गाज गिरी। कहानी

ख़त्म। बहुत बाद में किन्हीं सुरेन्द्र पाल द्वारा लुधियाना के 'चौक घंटाघर' पर एक सशक्त उपन्यास पढ़ा तो उम्मीद जगी कि शायद मेरा बिछुड़ा यार मिल गया। प्रकाशक को एक नहीं दो पत्र लिखे मगर जवाब नदारद।

लाहौर से ग़ाज़ियाबाद पहुँचा। एक वर्ष के लिए शिक्षण बाधित रहा। शम्भूदयाल कॉलेज में विज्ञान विषय लेकर नवीं कक्षा में दाख़िला लिया, मगर लैब में पहली ही बार अध्यापक ने जब मेढक का पेट चीरा तब मैं उठकर बाहर भागा और उलटी कर दी। विज्ञान से निकालकर कला की कक्षा में डाल दिया गया। उर्दू-फ़ारसी का स्थान हिंदी-संस्कृत ने ले लिया। स्व० अमरनाथ सरस वहाँ अध्यापक थे। उनकी देखरेख में 'प्रायश्चित्त' नामक नाटक लिखा, जिसमें मुख्य अभिनय के साथ-साथ मंच निर्देशन करते हुए दो पुरस्कार अर्जित किए। तभी से अलामतें फिर जाग उठीं। सरस जी स्वयं गीतकार थे, गीतों पर ही बल देते थे। मैं गीत लिखता, वे लाल क़लम से काट-छाँट करते। फ़ाइल का पेट ख़ासा भर गया कि एक दिन किसी दुष्ट द्वारा उसका अपहरण हो गया, जिसका सुराग़ मुझे आज तक नहीं मिला।

प्रसंगवश एक बात यहीं बताता चलूँ कि मेरी अप्रकाशित ही नहीं, प्रकाशित रचनाएँ भी ऐसी गुम हैं कि उनका मेरे पास कोई निशान तक बाक़ी नहीं, जबकि ग़नीमत है कि अभी उनके गवाह ज़रूर मौजूद हैं। उदाहरणार्थ इलाहाबाद से प्रकाशित होने वाली मासिक पत्रिका 'कहानी' में छपी दो कहानियाँ, एक ज़माने की जानी-मानी उर्दू पत्रिका 'शम्माँ' में छपी कहानी 'किनारे' या 'धर्मयुग' साप्ताहिक व मासिक 'कल्पना' में छपी एक-एक कविताएँ अब गुम हैं। स्थानीय व क्षेत्रीय पत्र-पत्रिकाओं में प्रकाशित रचनाएँ भी अब नहीं हैं। यहाँ तक कि 'ग़ाज़ियाबाद टाइम्स' में छपने वाले बहुचर्चित साप्ताहिक कॉलम 'कहेंगे, तो कहोगे, कि कहते हैं' की 5-6 सौ कड़ियों में से अब बमुश्किल एक सौ कड़ियाँ ही उपलब्ध हैं। प्रकाशित रचनाओं का तो सबके जैसा रोना, अपना भी कि पुस्तक या पत्रिका जो ले गया वह लौटा नहीं, ख़ास तौर पर पेशेवर लायब्रेरियन से। मगर प्रतिलिपि के न रख सकने की मेरी व्यक्तिगत समस्या थी। तब लिखने के लिए फाउंटेन पैन या क़लम-दवात होते थे, जिनसे कार्बन कॉपी नहीं बन पाती थी। इधर ख़ुशख़ती बनाने के चक्कर में बचपन से ही क़लम पर उँगलियों का अतिरिक्त दबाव डालकर लिखने की आदत पड़ गई। नतीजतन थोड़ी देर लिखते ही हाथ दुखने लगते। यही कारण है कि मैं परीक्षाओं में पचास

में से तीस से अधिक अंक का पर्चा कभी नहीं लिख पाया। ऐसे में कहानियों की प्रतिलिपि तैयार करने की ज़हमत कौन उठाता ?

हाँ, तो मैं बता रहा था विद्यार्थी जीवन में रचना-प्रक्रिया के बारे में। दसवीं कला विषयों से की, मगर बारहवीं वाणिज्य विषयों से करने के बावजूद कविता-कहानी चलती रही। एम०एम०एच० कॉलेज से फिर कला विषयों से बी०ए० किया, जहाँ लंबी जद्दोजहद के बाद (घर पर शौक़िया की गई चित्रकारी के नमूने दिखाने पर) ड्राइंग एंड पेंटिंग विषय मिल सका। वहाँ पहले दीक्षांत समारोह (सन् 1954) पर एक भव्य कला-प्रदर्शनी आयोजित कर दो पुरस्कार तो अर्जित किए ही, दिल्ली के अंग्रेज़ी राष्ट्रीय पत्र 'हिंदुस्तान टाइम्स' में तत्कालीन संवाददाता विजय सेखड़ी ने मेरी कृतियों की प्रशंसा की। तब श्री सेखड़ी से मेरा परिचय तक न था जबकि बाद में 'शाम-ए-सनीचर' के घनिष्ठ मित्रों में रहे।

बी०ए० करते ही कला अध्यापक की नियुक्ति नकारकर पुस्तक मोह के चलते लायब्रेरियन का पद अनुनयपूर्वक प्राप्त किया, जहाँ मैं पाँच वर्ष, बनारस यूनिवर्सिटी से डिप्लोमा करने तक, रहा। इसी बीच हिंदी विभागाध्यक्ष डॉ० जयचंद राय ने बारह कवियों का एक संग्रह 'प्रयास के पंख' संपादित किया, जिसमें प्रकाशित मेरी कविताओं की विशेष प्रशंसा नगर के बाहर से भी हुई। उत्साह चरम पर आना था, आ गया। उस संग्रह का कवर डिज़ाइन भी मैंने बनाया जो सराहा गया।

बी०ए० के दौरान अपने परम मित्र गय्यूर अहमद के साथ डासना गेट की सराय में मौलाना ज़हीर द्वारा संयोजित 'इदारा ए अदब' की साप्ताहिक निश्स्तों में शिरकत करता, जहाँ हफ़ीज़ मेरठी जैसे अज़ीम शायर व इकबाल नसीम उसमानी जैसे अफ़सानानिगार बाक़ायदगी के साथ भाग लेते। वे सब 'बा-मकसद अदब' के पैरोकार थे जो प्रायः मेरा भी सदा ध्येय रहा है। उर्दू व हिंदी में अब तक तीन बार छप चुकी मेरी मनोवैज्ञानिक कहानी 'चक्की' इसी दिशा का प्रयास है। यह कहानी वास्तव में राजनीतिक है, जिसमें सत्ता-परिवर्तन की बात की गई है। इन साप्ताहिक गोष्ठियों में सभी उर्दूदाँ थे, जबकि मैं आधा तीतर, आधा बटेर यानी कभी उर्दू तो कभी हिंदी—मुख्यतः हिंदी। इसी बीच स्व० गोपालकृष्ण कौल की कृपा से आकाशवाणी से वार्ताओं का सिलसिला शुरू हुआ, जिसको बाद में सलाम मछलीशहरी, रजनी पन्निकर व शकुंतला आर्य के बाद अलका पाठक ने अब तक जारी रखा हुआ है।

मेरे कुछ मित्र कहते हैं कि मेरी चंद कविताएँ अच्छी हैं, जबकि मैं समझता हूँ कि मूलतः मैं कवि हूँ ही नहीं। वैसे भी, मैं प्रायः तभी कुछ लिखता हूँ जब लिखकर देने की किसी घनिष्ठ द्वारा बाध्यता होती है। अब भला कविता की माँग करता ही कौन है ? ख़ास तौर पर उससे कि जो गाकर पढ़ने को नकारात्मक मानता हो। जो कविताएँ लोगों को, और मुझे भी, अच्छी लगीं वे लगभग सब 'शाम-ए-सनीचर' के दिनों की देन हैं। इन कविताओं पर उर्दू की रवानी यानी प्रवहमानता का प्रभाव स्पष्ट है, जो कविता में रिदिम लाता है। शब्द सरिता सरीखे बहते हुए चलें, छंदबद्ध न होते हुए भी नितांत रूप से अतुकांत न हों, ऐसी कविता मुझे प्रिय है। आस, ज़ंजीर, यह सुबह, ललित काव्य शिरोमणि कालिदास से, जीवन : विगत और आगत, किसी को ढूँडते हैं, दो भावभंगिमाएँ, प्रथम हिम-वर्षा की अनुभूति तथा कुछ हद तक अप्रिया, याद, संताप, प्रेरणा आदि कुछ ऐसी ही कविताएँ हैं। जिस कविता में आदरणीय श्याम विमल को (कृपया भूमिका देखें) एक सिने-गीत की छाया मिली, वह इस शैली की अनेक कविताओं में से ही एक है।

प्रसंगवश सिने-जगत् का एक क़िस्सा यहाँ बयान करता चलूँ। मैं 'ग़ाज़ियाबाद टाइम्स' में प्रति सप्ताह एक बहुचर्चित हास्य-व्यंग्य कॉलम लिखा करता था, जिसका शीर्षक था—'कहेंगे, तो कहोगे, कि कहते हैं'। उन्हीं दिनों मेरे अनुज समान एक भतीजा मुंबई में फ़िल्म निदेशक था, जो अपने शहर से जुड़े रहने के लिए डाक से नियमित अख़बार मँगवाता था। उसके पास श्याम नाम का एक संघर्षशील लड़का आया करता था, जो कि गीतकार स्व० आनंद बख़्शी के घर भी जाता रहता था। एक दिन संयोग से वह समाचार-पत्र हाथ में लिए-लिए ही बख़्शी जी के घर पहुँचा और कॉलम का ज़िक्र कर दिया। जाने कैसे हुआ कि शीर्षक सुनते ही वे उछल पड़े, 'अरे ! मुझे तो गीत का मुखड़ा मिल गया।' उन्होंने निर्माणाधीन एक फ़िल्म के लिए गीत लिखा—'हम बोलेगा, तो बोलोगे, कि बोलता है'।

अपनी रचना-प्रक्रिया के संदर्भ में एक प्रसंग बताता हूँ। ऊपर मैंने बताया कि स्व० सरस जी की प्रेरणा से मैं छात्र-काल में प्रायः गीत ही लिखता रहा। वे अकसर रूमानी ही होते थे, जो शायद उम्र का भी तकाज़ा था। सन् '54 की बात है कि एक दिन स्वयं सरस जी के सामने ही गोपालकृष्ण कौल मूड में आकर बोले, 'ये क्या तुम गीत-फीत लिखते रहते हो। छोड़ो सरस की शागिर्दी, वरना

इसकी तरह ही लहरा-लहराकर गाते फिरोगे। तुम्हारे पास अपनी सोच है, उसी को अपनी कविता के माध्यम से उजागर करो।' उसके बाद मैंने बहुत कम गीत लिखे। कुछ समय पश्चात् उन्होंने एक दिन कहा कि मैं महाकवि कालिदास जयंती का आयोजन करूँ, जिसमें वे राष्ट्रीय कवि दिनकर को लाना चाहते हैं। बात जँच गई। दिन तय हो गया, टाउन हॉल बुक करा लिया, निमंत्रण पहुँच गए, माइक और दरियों की व्यवस्था हो गई, परंतु अपने पास सुनाने को समयोचित कविता न हुई। हमेशा की तरह दिमाग़ में एक ही बात थी कि रचना कुछ अलग से, कुछ हटकर होनी चाहिए। अधिकांशतः कहा जाएगा कि कालिदास, तुम्हारी जय हो, तुम महान् थे, अद्वितीय थे। संयोजक भी इसी को दोहराए तो बात क्या बनी ? उधेड़बुन में दिन बीत गए। केवल एक रात पहले लेटे-लेटे दिमाग़ में कौंधा कि कालिदास अगर आज के संत्रस्त और संघर्षपूर्ण युग में पैदा होते तो क्या तब भी उनके काव्य में वही लालित्य होता ? बस, यही प्रश्न 'ललित काव्य शिरोमणि कालिदास से' शीर्षक कविता में मैंने पूछ लिया। आज़ भी जब उस दिन की याद आती है तो संपूर्ण शरीर रोमांचित हो उठता है कि पाठ सुनकर महाकवि दिनकर ने न केवल बार-बार मेरी पीठ थपथपाई थी, वरन् विदा होते समय पलटे और जो कहा था वह आज की भाषा में कुछ इस प्रकार था कि लगे रहो मुन्ना भाई, झंडे गाड़ोगे।'''पर मुन्ना भाई में लगन थी ही कहाँ ? यह तो अब बुढ़ापे में जब मुअय्यन दिन दिखने लगा है तब भगी मची है कि भैया, जो कुछ भी है, सब फ़टाफ़ट समेट लो। परिणामस्वरूप 'हमारे वन' व 'चुनौती' के पूरे बीस साल बाद '1857 : समरगाथा', 'हम और हमारे वनचर', 'चुनौती' का परिवर्धित व संशोधित संस्करण व यह इकलौता कविता-संग्रह 'किन्तु-परन्तु' आपके सामने हैं। अभी लगा हुआ हूँ कि कुछ अविस्मरणीय व उपयोगी यात्रा-संस्मरण भी लिखूँ।

यूँ तो समूचे नगर के ही साहित्यिक जीवन में, वरन् मेरी निजी काव्य-उपलब्धियों में 'शाम-ए-सनीचर' का बहुत बड़ा रोल है। इसकी हर साप्ताहिक गोष्ठी में टिकट या एंट्री पास के तौर पर एक अदद कविता लेकर जाने की आंतरिक कामना ने वर्षों प्रेरणा दी। क्या सुनहरी संस्था थी वह भी ! न कोई रजिस्टर, न कोई शुल्क; न संविधान, न चुनाव; न लाग, न लपेट; शायर-ए-हिंदुस्तान स्वर्गीय मेहदी नज़्मी नामित आजीवन अध्यक्ष और मैं आजीवन संयोजक जबकि रघुनाथप्रसाद चौधरी आजीवन कैशियर। संस्था का नामकरण अललटप तौर

पर किया रामेश्वर उपाध्याय ने, जिसकी तरकीब पर एक उर्दूदाँ विद्वान् ने जब एतराज़ किया तो हमारा समवेत नम्र निवेदन था कि हम व्याकरण न बोलकर आम जन की भाषा ही बोलते हैं। सबके आपस में पारिवारिक संबंध, बेगम नज़्मी मुझे व आज़ाद साहब को राखी बाँधतीं; सभी पर्व मिलजुलकर मनाते—ऐसा लगता जैसे हज़ारों मील की दूरी मिटाकर सिंधु व सरस्वती का संगम ग़ाज़ियाबाद में हो गया है। एक बहुत दिलचस्प मगर संवेदनशील वाकया बताता हूँ। नज़्मी पहली बार मेरे घर आए। माँ खाट पर बैठी स्वेटर उधेड़ रही थीं। नज़्मी ने सीधे जाकर उनके पाँव छुए और सामने बैठ गए। माँ ने सिर पर हाथ फेरा, दोनों ने एक-दो बातें कीं, फिर माँ बोलीं—'अच्छा, तुम लोग गपशप करो, मैं चाय बनाती हूँ।' जब वे जाने लगे तो मैं उन्हें विदा करने चौपले तक गया। लौटा तो हवा उड़ गई, चेहरा फ़क ! अब होगा क्लेश।

माँ ने परेशान देखा तो पूछ लिया, 'क्या हुआ ?'

'आपने प्लेट-प्याले धो दिए ?'

'तो क्या हुआ ? धोने तो थे ही।'

जब मैंने बताया कि वह मुसलमान हैं तो देखा कि माँ को रंज क़तई नहीं, आश्चर्य ज़रूर हुआ। उन्होंने तनिक रुककर कहा, 'फिट हिंदू ते मुसलमान। ये हिंदुओं से क्या बुरा है ? इसने मेरे पाँव छुए, प्यार से मेरे पास बैठा, लख हिंदुओं से अच्छा है यह।'

उसी दिन सैकड़ों-हज़ारों साल से चले आ रहे संस्कारप्रदत्त बंधन मेरे घर से निष्कासित हो गए।

मगर बुरा हो उस शैतानी मंसूबे का, जिसने हमें दिल्ली से उर्दू दैनिक 'अवाम' प्रकाशित करने पर आमादा कर दिया। उधर कुछ साथियों के तबादले हमें दूर न करते तो वह संस्था बरसों और जीवित रहती। अख़बार ने सबके तन, मन, धन को ऐसा निचोड़ा कि शेष बचे सभी मित्र सदा के लिए 'मिनकार ज़ेर-ए-पर' की मुद्रा में आकर रह गए।

वैसे सगर्व कहा जा सकता है कि यह नगर अनेकानेक साहित्यकारों के निवास के कारण सदा समृद्ध रहा। प्रवास में रहते हुए भी यह सुनकर प्रसन्नता होती कि यह चमन आज भी फल-फूल रहा है। जुग-जुग जिएँ यशस्वी, मेधावी, उदीयमान सभी लेखक, कवि व पत्रकार। मेरी माँ नित्य रात्रि सोते समय एक काफ़ी लंबा-सा पाठ करती थीं, जिसका एक अंश था—'काँ काँवड़ी दे जीवन,

बिल्ली, कुत्ते दे जीवन, सब दे लेखे मैं निमाणी दे वी जीवन'। यही पाठांश मैं अपने तमाम मसि बंधुओं के लिए करता हूँ।

संग्रह में मेरी कुल रचनाएँ संकलित नहीं हैं। कुछ और भी होंगी, हैं ही। मगर शेष सब एकाधिक कारणों से छोड़ दीं, छूट गईं या छुड़वा दी गईं। संग्रह में मैंने गीतों, ग़ज़लों व कविताओं को अलग-अलग बाँट दिया है।

मेरे एक-दो मित्रों ने पुस्तक के शीर्षक पर आश्चर्य व्यक्त किया कि 'यह कुछ अजीब लगता है', परंतु मुझे यह सार्थक लगता है। आज आप देखते हैं कि घटना कैसी भी हो, छोटी हो या बड़ी, लोग झट से सड़कों पर उतर आते हैं। झगड़ा दो छात्र गुटों में ही हो, मगर आग लगती है वाहनों में और भयंकर तोड़-फोड़ होती है बाज़ारों में। तनिक-सी बात पर आत्मदाह जैसा तीव्र विरोध ! टीम वर्ल्ड कप में हारे, तोड़े जाएँगे मकान, जलाए जाएँगे पुतले ! वास्तव में यह विक्षोभ या विरोध उस इकलौती घटना के प्रति न होकर समूची व्यवस्था के विरुद्ध स्पष्ट रूप से 'किन्तु-परन्तु' ही है। लोग अंदर से घुट चुके हैं। आए दिन स्वःमृत्यु के प्रार्थना-पत्र दिए जा रहे हैं। अगर हालात ऐसे ही बिगड़ते गए तो व्यवस्था के विरुद्ध जन-जन का 'किन्तु-परन्तु' उग्रतर होता ही जाएगा। रूस और चीन की क्रांतियों का इतिहास पढ़ने के बाद मुझे इसका अहसास सन् 1955 में ही हो गया था जब मैंने 'खाँसी' कविता लिखी। बाद के समय में हालात ज्यों-ज्यों बद से बदतर होते गए, मेरी उम्मीद 'आस' और 'प्रेरणा' (जिसे इरादतन ही, संग्रह में, अंतिम कविता के रूप में रखा है) जैसी कविताओं की सूरत में उभर आई।

क्या यह शीर्षक अटपटा है ? नहीं ना !

—सुदर्शन कुमार चेतन

सी 72, वसंत विहार
दिल्ली रोड, सहारनपुर-247001

क्रम

किन्तु-परन्तुपरक कविताएँ

गीत कुंज

(अधिकतर सन् 1948 से 1960 के बीच)

प्रेम के नयनों ने मुझे आप निहारा
अभिसार के अधरों ने कई बार पुकारा
कब बाँध के रखा किसी नाव को तट ने
हर नाव को लहरों ने दिया आप सहारा

गीत

मौन शीतल धरा, सो रही चाँदनी
जैसे सोया हुआ गीत हो होंठ पर
दूर तक पहुँचते रश्मियाँ घट गईं
आस के झीने-झीने बरन फट गए
चाँद के सारथी बढ़ते आए मगर
अब अचानक डगर के चरण थक गए
रात छुपकर खड़ी वृक्ष की ओट में
जैसे जोहा करे मीत को उम्र भर
शब्द आँखों में हों शब्द साँसों में हों
होंठ हिलकर मगर बोल पाएँ नहीं
प्यार के फूल पर गूँज भँवरों की हो
प्यार के गीत तब भी सुनाएँ नहीं
प्यार हर गाम पर, प्यार हर मोड़ पर
प्यार की सूनी-सूनी मगर हर डगर
रूप शाश्वत नहीं, रूप मौलिक नहीं
प्यार ने साँस ली रूप तब बन गया
बूँद होती वही कीच में, सीप में
रूप दोनों का लेकिन अलग बन गया
रूप खिलता सदा प्यार के पाश में
जैसे खिलती कली नेह को जोड़कर।

एक कहानी

मन के गहरे घाव न चेहरे पर जब देख सका
तब घबराकर मैंने अपना शीशा तोड़ दिया
उस दिन पड़ीं फुहारें, फैली मस्ती चारों ओर
उस दिन पुरवा चली कि नाचे धरती के सब छोर
मस्त अकेलापन था, हम थे, और न कोई पास
गीत प्रणय का ले आई थी मधुर मिलन की आस
मन की बात होंठ पर आई नयन दिए मुस्का
तब शरमाकर उसने अपना आँचल ओढ़ लिया
मन से नाता जोड़ लिया।
नाता जोड़ लिया तब सारी दुनिया हर्षाई
फूल खिले, हर कली यहाँ पर गाई, मुस्काई
भूल गए हम धरती, ये आकाश, सितारे, चाँद
सपन सलोने लगे देखने प्यार की डोरी बाँध
लेकिन सपनों की दुनिया में किसको प्यार मिला ?
फूल प्रेम का खिलने तक किस्मत ने तोड़ दिया
कली ने हँसना छोड़ दिया।
हँसना छोड़ दिया लेकिन अब मन घबराता है
नयनों में बैठा कोई हर समय सताता है
मैंने बीच भँवर भी सागर को ललकारा था
लेकिन उसको प्यार नहीं संसार दुलारा था
जब दुनिया का रौरव रूप न रोके रोक सका
तब घबराकर उसने अपना मुखड़ा मोड़ लिया
मुझसे नाता तोड़ लिया।।

प्रणय पाती

तुम छुपा लो प्यार की छाया तले
मैं तुम्हारे फूल का मकरंद हूँ
रात काली थी मुझे सब याद है
उम्र बाली थी मुझे सब याद है
अमराई के बीच द्रुमों की छाँव में
हम मिले जब लोग सोते गाँव में
घुप अँधेरों में कभी डरते थे हम
और डरकर पाश में बँधते थे हम
सिसकियाँ, धड़कन, गिले-शिकवे सभी
बात करते, मौन रहते थे कभी
फिर घड़ी आई विरह की भार-सी
किंतु मैं तो दूर रहकर संग हूँ।
तुम छुपा लो प्यार की छाया तले
मैं तुम्हारे फूल का मकरंद हूँ
कोकिलें सौ कंठ से हों कूकती
और भँवरे गुनगुनाते हों कभी
फूल की हर पाँखुरी को चूमकर
बह रही हो मंद वायु झूमकर
बिन खिली कलियाँ प्रणय की चाह में
व्यग्र तकती हों प्रिय की राह में
यूँ चतुर्दिक हो निमंत्रण प्यार का
प्रेम के काया-पुलक व्यवहार का
पर सँभलना, मत प्रिये मन हारना
मैं नहीं जब साथ, तब सौगंध हूँ
तुम छुपा लो प्यार की छाया तले
मैं तुम्हारे फूल का मकरंद हूँ।

मेरे दर्पण में

मैं तेरे अंतस में छिप करके प्यार करूँ
तुम मेरे ही मन को हरदम छलती जाओ
मैं पहुँचूँ जब भी आँचल तेरा छूने को
तुम फूलों की मधुगंध बनी उड़ती जाओ

यूँ चलते-चलते आज अचानक रस्ते में
मैंने जो मुख अपना तुमसे मोड़ लिया
सच पूछो इसमें मेरी कुछ भी देन नहीं
तुमने तो ख़ुद रिश्ता कब से तोड़ लिया

यह कौशल मेरी दुनिया का व्यवहार नहीं
है छलना, मेरी दुनिया का यह प्यार नहीं
तुम आओ तो मेरी नस-नस में घुल जाओ
बहकाते रहना अब मन को स्वीकार नहीं

कल और आज

कल तक मेरे पास नहीं थी कोई बात तुम्हें कहने को
आज मगर जब लगा सुनाने अनगिन सागर उमड़ पड़े हैं

तन का सुख क्या जाने जब मन धीमे-धीमे सुलग रहा हो
खुलकर रोना बहुत कठिन, मन धीमे-धीमे बिलख रहा हो
कल तक एक बूँद को प्यासा मन का पंछी तड़प रहा था
आज मगर इक बूँद क्वाँरी, बरसी बादल घुमड़ पड़े हैं
कल तक मेरे पास.......

मेरी बात मुझी पर छोड़ो तुम अपनी आँखों में देखो
छोड़ उड़ानें मेरे मन की तुम अपने पाँखों को देखो
कल तक मेरे होंठ सिले थे और तुम्हारी आँखें बंदी
आज ज़रा-सा झोंका पाकर तट के बंधन उखड़ पड़े हैं
कल तक मेरे पास.......

कल तक थे हम केवल परिचित, आज प्रणय के हैं साथी
मन की सब कुंठाएँ अब तो प्रणय वेग में हैं बह जातीं
कल तक नींद नहीं आती थी मैं सपनों को आप बुलाता
आज मगर जब नींद बुलाई सपनों के रंग बिगड़ पड़े हैं
कल तक मेरे पास.......

फूल नहीं खिलते हैं जब तक पवन न आकर लोरी गाए
प्रेम नहीं खिलता है तब तक ऋतु न जब तक ख़ुद मुस्काए
कल तक रूप तुम्हारा तम के कोटर में सोता था लेकिन
आज ज़रा-से इंगित पर ही रूप के पायल ठुमक पड़े हैं
कल तक मेरे पास.......

बहुत प्यार आता है

सँवरते देख तुम्हें, मुझको बहुत प्यार आता है।
अधसँवरी जब लजाती - सी तुम
केश फैले हों, गात भीगा हो
जैसे अधखिली कली हो सामने
जैसे ओस से चाँद भीगा हो
मन में अजब - अजब - सा गुबार आता है
सँवरते देख तुम्हें, मुझको बहुत प्यार आता है।
तुम्हारी बाँहों की हरकतों से जब
तुम्हारे अंग थिरकने-से लगते हैं
तो लगता है फूल की पत्तियों पर
पवन के पाँव भी मचलने लगते हैं
प्रेम के सागर में तब ज्वार आता है
सँवरते देख तुम्हें, मुझको बहुत प्यार आता है।
ओट में जब कभी तुम हो जाती हो
खो जाता हूँ मैं कुछ ख़यालों में
तभी गुनगुना उठतीं तुम कोई गीत
मैं ढूँडता हूँ तुम्हें चाँद-तारों में
हृदय के भावों में तब उभार आता है
सँवरते देख तुम्हें, मुझको बहुत प्यार आता है।
गूँथ लो वेणी, आँचल सँवार लो तुम
शेष शृंगार मैं भी सजा दूँगा
फूल खोंसकर चोटी बाँध लो ज़रा
मैं तो एक लट आगे गिरा दूँगा
तब देखना कि कैसा निखार आता है
सँवरते देख तुम्हें, मुझको बहुत प्यार आता है।

रात के तीन पहर

सो मत साथी बात करें कुछ और अभी,
रात रुकी है कब से अब थक, जाएगी।

प्रथम पहर जब हम और तुम मिल बैठे थे
दूर नदी के तीर ताड़ के वृक्षों में
झिलमिल-झिलमिल आग जलाकर संथाली
गाते थे कुछ तान बाँसुरी की छेड़े
चाँद देखते झिलमिल-झिलमिल आग बुझी
सपन देखते बिसर गई वह बाँसुरी
नींद सो रही कब से अब जग जाएगी
रात रुकी है कब से अब थक, जाएगी।

और दूसरा पहर रात का शुरू हुआ
मुझे पुराना गीत तुम्हारा सूझ गया
तुमने लेकिन होंठों पर रखकर उँगली
किया इशारा मौन अभी चुप रहने का
तरुवर की डाली पर पंछी बैठे थे
मौन रहें हम, वे लेकिन कुछ कहते थे।
डाल झुकी है कब से अब उठ जाएगी
रात रुकी है कब से अब थक, जाएगी।

और तीसरा पहर रात का शुरू हुआ
मौन रहे यदि और प्रिय तो क्या होगा ?
बाँध लगन की डोर तुम्हें ले जाने को
एक अहेरी दिन चढ़ते आ जाएगा

बुझ जाएँगे दीप, विरह की भीड़ लगी
आओ दोनों छोड़ चलें इस दुनिया को
साँस रुकी जो कब से अब चुक जाएगी
रात रुकी है कब से अब थक, जाएगी।

मुझे वेदना और न देना

मुझे वेदना और न देना सीमा से बढ़ जाएगी
और गरल बनकर जीवन को क्षण भर में ले जाएगी

दुःख के भाव हैं मन के दर्पण
जिनको आँचल न ढाँपे
झंझाओं से तिमिर न सरके
आप पवन का तन काँपे
ऐसे ही आँचल की छाया में सो जाने दो
वरना लंबी रात ज़िंदगी की, भटका ले जाएगी

बेबस प्राणी कभी न माँगे
लंबे जीवन के धागे
सपना जिसको एक न सोहे
क्या सोए वह क्या जागे
जितनी भी हो रात सुहानी जितने चमके ये तारे
उतनी ही मादकता मन में तीखी आग जलाएगी

आँख से आँसू एक न टपके
चाहे जितना ग़म आए
उर की पीड़ा उर के अंदर
तड़पे, मचले, दब जाए
हम तो पीड़ा सह सकते हैं चाहे जितनी मिल जाए
साँस मिली है लेकिन छोटी, रस्ते में चुक जाएगी

मुझे वेदना और न देना···

हर मोड़ पर

मैंने तो हर मोड़ पे रुककर तुमको अपने साथ पुकारा
लेकिन देखा रूप तुम्हारा अलग रहा मुझसे जीवन-भर

जीवन में चंचल क्षण आए मन की कोरों को हर्षाने
डूब गया मैं गहरे सागर मन की अविरल प्यास बुझाने
प्यास बुझी या न बुझ पाई इसका कुछ अनुमान नहीं है
जीवन-भर का साथ कहा था, मैं निकला था साथ निभाने
मैंने तो हर गाम पे रुककर अपने पग को आप सुधारा
लेकिन देखा पाँव तुम्हारे भटक गए हैं हर पग-पग पर

साँझ का सूरज पिघला जब-जब मैंने तुमको याद किया है
आँचल की छाया के बदले तारों का संसार दिया है
आँचल पाया या नहीं पाया इसका कुछ भी ज्ञान नहीं है
अपने मन से परवाने का जीवन मैंने आप जिया है
पंख जलाकर आप शलभ ने रूप शमाँ का रोज़ उभारा
लेकिन देखा रोज़ शमाँ को हँसते अपने बाबुल के घर

रूप की देहरी पर चंदा का वंदनवार सजाता हूँ
और किसी के प्यार की झूठी क़समों में फँस जाता हूँ
प्यार मिले या न मिल पाए इसका किसको होश रहा है
एक ज़रा से इंगित पर ही खिंचा हुआ आ जाता हूँ
मैंने तो अमृत का प्याला देकर तुमसे गरल लिया है
लेकिन देखा अधर तुम्हारे हँसते मुझको छल-छल कर।

मैं और तुम

मैं हूँ जैसे रूप नहीं है, तुम हो जैसे प्यार नहीं
इसीलिए शायद नियति को प्रेमबंध स्वीकार नहीं
एक पलक आँसू रखती
एक पलक विश्वास-भरी
एक नज़र सूनी - सूनी है
एक नज़र उल्लास - भरी
इसीलिए शायद नज़रों में सहज नेह-व्यापार नहीं
सोने के पिंजरे में बंद
पंख सुकोमल टूट रहे
दूर खड़ी मंज़िल हँसती
राह के साथी छूट रहे
इसीलिए शायद शंकित मन बढ़ने को तैयार नहीं
प्रीत के फूल नहीं खिलते
भूल हो चाहे जिस-जिस की
चाहे जितनी बरखा हो
मन की प्यास नहीं बुझती
इसीलिए है धूल बाग़ में, फूलों का मधुभार नहीं
बिन माँगे दुःख-दर्द बहुत
अनबोले हैं गीत कई
साँस बिरानी व्याकुल है
साज़ हैं चुप, संगीत नहीं
इसीलिए शायद सृष्टि का मनचाहा शृंगार नहीं

मिलकर प्यार करें

एक थी रुत जब हमने और तुमने था प्यार किया
एक है रुत अब कह दो सबसे मिलकर प्यार करें
जग का श्रृंगार करें !
दूर गगन में एक बावरा तारा निकला भोर का
जैसे सूत्र एक मिल जाए अनबूझे इक चोर का
रात सरकती जाती है अब साथ लिए सब लोरियाँ
नींद जगाती जाती है अब साथ छोड़ तम घोर का
कौन ओस के मोती देखे ? कौन सुमन देखे अनमोल
रंग भरी है आज सुबह सब मिल करके दीदार करें
मौसम स्वीकार करें !
एक निमिष के लिए न कोई शंका आज करे
एक निमिष के लिए न कोई मन से आज डरे
जीवन में छलना हो तो उसको भी छल डालो
संताप अगर हो मन में तो कह दो कि ताप हरे
मन की पीड़ा को मैंने और तुमने दूर किया
आज सभी से कह दो दुःख से ही तकरार करें
मन को तैयार करें !
आज रँगीले रथ पर चढ़कर रूप यहाँ आया
फाग छुआ न जिसने वह भी मन में हर्षाया
नदी किनारे रसभीने मौसम की कौन कहे
खेतों में सरसों के ऊपर यौवन मदमाया
एक समय था जब मधुबन में हम-तुम गाते थे
आज सभी से कह दो मौसम है, मनुहार करें
फूलों से प्यार करें !

भावुक क्षणों में

कोई मेरे पीछे से चुपके से आया
कि जैसे सरककर घटा आ गई हो
कि जैसे पहाड़ी पे आया हो बादल
कि जैसे पवन का हो आया झकोरा
कोई आके बोला सुरीली धुनों में
कि बाँसों के वन में पवन गुनगुनाए
कि घाटी में झरना कहीं बह रहा हो
कि पनघट पे बजती हुई पायलें हों
मिरा मन अचानक कहीं खो गया है
कि चंदा से जैसे किरन खो गई हो
कि दीपक से जैसे शिखा मिट गई हो
कि फूलों से जैसे महक छिन गई हो
कोई आके पीछे से फिर मुड़ गया है

किसी की याद

मुझे किसी की याद तभी आ जाती है

हर डोली के उठते देख न यह समझें
चली प्रेमिका मिलने अपने प्रेमी से
नहीं ज़रूरी हर दीपक मंदिर पर हो
नहीं सभी झोंके होते पुरवाई के
मैंने तो जब-जब डोली उठती देखी
और सुनी आवाज़ कहीं शहनाई की
मुझे किसी की याद तभी आ जाती है।

पास यदि गीतों की कुछ आवाज़ सुनें
दूर नदी के तीर कुंज की छाँओं में
मत समझें ये वचन निभाए जाएँगे
साथ रहेंगे सदा सभी बाधाओं में
मैंने तो जब-जब भी ऐसे गीत सुने
मुझे लगी आवाज़ किसी हरजाई की
मुझे तुम्हारी याद तभी आ जाती है।

मन परदेशी और अपरिचित गलियाँ हैं
चाहे जहाँ कहीं भरमाकर ले जाएँ
बिन माँझी का काठ किनारा क्या जाने
लहर जहाँ चाहे बहकाकर ले जाए
मन दुविधा में देख किसी चौराहे पर
तस्वीर सामने आती है तनहाई की
मुझे तुम्हारी याद तभी आ जाती है।

हो गई बाज़ी मात

साज़ कहीं पर दर्द - भरे सारी रात बजे
और बजी शहनाई उनके घर पर सारी रात।
मन की एक हिलोर बीथि के आर-पार फैली
और किसी का रूप नयन में भर-भरकर आया
मधुर बाँसुरी चैन सरीखी बाजी कानों में
लेकिन जग का रौरव उससे भी बढ़कर आया
लाख सँजोए सपने कोई महल बनाता था
लेकिन एक चाल से ही कुल हो गई बाज़ी मात।
खेतों की धानी चूनर पर मोती चमक गए
नन्ही बूँदों से धरती का आँचल भीग गया
कैसे बात छुपाएँ, कैसे जग को समझाएँ
आँख खुली न जब तक सारा सपना रीत गया
दर्द समेटे आहों में जब राज़ छुपाएँ हम
तभी कहीं आँखों में बहकर खुल गई सारी बात।

दुनिया के गुंबद में

जीवन के सब अवसर खोकर आया हूँ
शेष रहा जो, मेरा नहीं तुम्हारा है।
अंतस की यह चलती-चलती साँस कभी
रुक सकती है, इसका क्या विश्वास करें
हमको तो विश्वास है केवल उस पल का
जिसमें जीवन के सपने आवास करें
विश्वास अडिग हो या दुर्बल हो, भय नहीं
जीने को, सपनों का बड़ा सहारा है।
जब भी ढूँढा मैंने तुम्हें नहीं पाया
तुम्हें पुकारा मैंने जब अवसर आया
लेकिन रूप तुम्हारा अजब पहेली है
एक झलक दिखलाकर छुप जाती माया
लगता है मेरी नौका के पाल कभी
ढूँड नहीं पाए हैं किधर किनारा है।
यूँ करने को प्यार हज़ारों साल किया
जन्म-जन्म में हम-तुम ने हर बार किया
किंतु ऐसा प्यार जो मन से मन का हो
साथ नहीं जाता है, यूँ हर बार किया
सच पूछो तो इस दुनिया के गुंबद में
मैंने तुमको बारंबार पुकारा है।

अँधेरे क्षितिज

(महाकवि निराला जयंती पर श्रद्धांजलि पुस्तिका के लिए)

समय की तपन ने
कसैले धुएँ ने
अभी एक सागर तरल सोख डाला

अमर छीन वाणी
फड़कती शिराएँ
अभी भस्म कर दीं, न देखा न भाला

रहेगा अँधेरा कि
कविता - क्षितिज पर
नहीं फिर से निकला जो चंदा निराला

आवृत्ति

(श्रीमती इंदिरा गांधी ने जब सिंडिकेट तोड़ा)

जल की मछरी जल से उछरी
जल में फिर से कूद गई
पंक से ऊबी, ऊपर कूदी
पंक में फिर से डूब गई
तन का सोना निखरा - निखरा
सद्यःस्फूर्त मन उबरा - उबरा
सपनीली आँखों से देखा—
उगता सूरज, जगमग धरती
लेकिन अंधकार के दादुर
भाँति-भाँति का रौरव लाए
घेर लिया जल बीच मीन को
खुली आँख, फिर मूँद गई
मछरी फिर से डूब गई।

चौखम्बा

(चार ग़ज़लें)

दूर हैं हमसे तो क्या हुआ अपने तो हैं
न हों ज़मीनी, हवाई सही, सपने तो हैं
भले ही कहानी उनकी बेवफ़ाई की हो
बदनामी के वरक हमीं को ढकने तो हैं

एक

किसी घर को आग लग गई तो सुना कि वह बुझा भी दी
मेरे दिल की आग को ऐ ख़ुदा ! कोई आके भी न बुझा सका।
तेरे ज़ख़्म की वह दास्ताँ कुछ इस कदर उलझी रही
किससे कहूँ, कैसे कहूँ, न तो याद है न भुला सका।
मेरी बदनसीबी के हादसे नग़्मों की सूरत पा गए
बेचारगी का क्या कहूँ न मैं गा सका न सुना सका।
तेरा हुस्न दिलफ़रेब था तेरी सीरतें थीं दिलकशाँ
ऐसा ख़ज़ाना हाय मैं न छुपा सका न दिखा सका।
ख़ुद्दार का मग़रूर से टकराव लाज़िम चीज़ है
हरचंद चाहता रह गया न मैं झुक सका न झुका सका।
वो दिन अब भी याद हैं जब चाहतों की लाश पर
दोनों खड़े तकते रहे न मैं रो सका न रुला सका।
तेरी डगर चलते हुए तारीकियों में घिर गया
हर सू ऐसा मौन था न मैं सुन सका न बुला सका।

दो

मुख पे आँचल गिरा लो
शरम की दीवार बना लो
हर मुश्किल आसाँ हो जाए
सभी को ग़मख़्वार बना लो
जगते हुए सपने नहीं आते
नींद को हथियार बना लो
न व्यापारी हो न सियासतदाँ
रिश्तों को गुलज़ार बना लो
आपके सदके जी जाएँ हम
आप वफ़ा को श्रृंगार बना लो
न बनना तीमारदार हमारा
बस प्यार का बीमार बना लो
बन सकें जहाँ तक चेतन
रास्ते हमवार बना लो

तीन

फ़साना ज़िंदगी का यूँ ख़त्म होगा, न जाना था
वो आते क्यों भला हम तक, न आए यूँ, न आना था
करें शिकवा किसी से क्या, नसीबा ख़ुद ही ऐसा था
कटे डैनों का पक्षी, फिर गगन छूना निशाना था
मिला है दम, फिर कुछ साँस चलती देख सकते हैं
वगरना खा चुके हैं सब, जितना आब-ओ-दाना था
हमीं से पूछते हैं सब हमारी दास्तान-ए-ग़म
उन्हें कोई नहीं कहता तुम्हारा क्या बहाना था
गिला करने से क्या होगा ऐसे रहनुमाओं से
जिनका दाद इलाही हक़ वतन को बेच खाना था
नहीं हम पा सके मंज़िल लुटे रहबर के हाथों से
बड़े ज़ालिम से पाला था जिसे हमने निभाना था
समाँ बेदर्द है, कमज़र्फ़ है और बे-मुरव्वत है
इसी धारे में हम डूबे, जबकि पार जाना था

चार

आँखों में चमक, चेहरा हरजाई
कैसे जानूँ प्यार है कि नहीं
पूछता हूँ जवाब नहीं मिलता
कैसे जानूँ इकरार है कि नहीं
धड़कनें बढ़तीं, थामता हूँ दिल
कैसे जानूँ बेकरार है कि नहीं
नाव डगमग किनारे पे लगी है
कैसे जानूँ मँझधार है कि नहीं
देते हैं फफोले मरहम नहीं देते
कैसे जानूँ दिलदार हैं कि नहीं
इश्क को ख़ारिज वो नहीं करते
कैसे जानूँ सरोकार है कि नहीं
रख दिया है दिल चौखट पर
कैसे जानूँ स्वीकार है कि नहीं

1960 से 1980

जिसके बाद कविता कहती है
उसने मुझसे मुँह मोड़ लिया, मैं कहता हूँ मैंने उसे छोड़ दिया

शेष नहीं कुछ कहने को
शेष नहीं कुछ सहने को
मिट रहीं सब तीव्र गति से
कहने - सहने की सीमाएँ

ललित काव्य शिरोमणि कालिदास से

(महाकवि ! हमारी कविता में लालित्य क्यों नहीं ?)

शब्द तेरे, भावनाएँ और गायन भी नहीं है
आज तो मैं डाल्डा और फैक्टरियों का–
शोर केवल लिख रहा हूँ;
न रुचे तो खाँस देना
इक जनम फिर से तुम्हारा और होगा।
पर्वतों की चोटियों पर
घूमते-फिरते रुपहले बादलों के
गीत तुम गाते रहे थे कल्पना में।
आज किंतु पर्वतों की चोटियों पर
बादलों का वास ही तो रह न पाया
गाड़कर झंडे, समाधि रौंदकर
आज कलयुग का नुमायंदा लौट आया।
फिर संदेसे भी तो क्या अब प्यार के हैं ?
या कि कोमल भावनाएँ ही रही हैं ?
आज तो बिजली की तारों में,
पवन के पाँखुओं पर
गूँजती हैं कूटनीति की पुकारें
डिप्लोमेसी के संदेसे
कौन-सा निर्झर स्वरों में ला सकेगा ?
इसलिए कहता कि तुम इस दौर में भी
आ के देखो कौन-सा अब ठौर होगा
न रुचे तो खाँस देना
इक जनम फिर से तुम्हारा और होगा।

तुम तो करते थे सुकोमल कल्पना
चाँद-तारों की,
नदी,
निर्झर,
नशीले बादलों की,
दूर वस्थित ज्योत्स्ना,
मांसल, सलज्ज मौलिक सुंदरता की
युगों के बाद की इस एटमी दुनिया में
अपना विश्व ले आओ
वही माहौल ले आओ।
हमें तुम कल्पना दो
कल्पना की पृष्ठभूमि दो
हमें तुम गान दो
गान का फिर से मधुर स्वर दो।
यहाँ कोयल नहीं है
कोयले हैं,
सर्वहारा है
उन्हीं के गीत की तुम फिर से आकर
धुन बदल जाओ
तुम्हारे अंकुरों पर
नव सृजन का बौर होगा
न रुचे तो खाँस देना
इक जनम फिर से तुम्हारा और होगा।

उत्तर

(कूटनीतिक)

मेरी गली में आकर कोई क्यों लड़ता है ?
मेरे बच्चे बाहर जाकर छेड़ें तब तो
चाहे कोई आकर मुझसे लड़ सकता है
लेकिन यूँ ही, अनजाने में
आकर कोई वार करे, तब
कह दो उससे
मेरे बच्चों के सीने में दिल पलता है
जिसका लोहू
प्यार को पाकर खिलता है
गुस्से में आग उगलता है।
मेरी गली में आकर कोई क्यों लड़ता है ?

ज़ंजीर

तुम ! कि जो अजंता की तस्वीर-सी लगती हो
तुम मुझे पाँवों में ज़ंजीर-सी लगती हो
फूल से महकी हुई डाल-सी तुम हो
रति-भार से बहकी
मोहजाल-सी तुम हो,
देह की रंगत है कि जैसे सोना
प्यार से भरता है दिल का हर कोना।

तुम फूल पे तिरती हुई ओस का कण हो,
या पाँव पे चलती ख़ुद चाँद किरन हो,
तुम बरखा का दिन हो,
तुम प्रेम की पाती,
अभिसार का दिल हो
या शीत शरद् की
कुनकुनिया दुपहरी में
दरिया के किनारे पे बिछी बालू-सी तुम हो।
ऐ काश ! अजंता की तस्वीर न तुम होतीं
ऐ काश ! कि पाँवों की ज़ंजीर न तुम होतीं।
—ज़ंजीर न तुम होतीं
तो आज जो दुनिया पे ये छाई घटाएँ हैं।
इनसान के बिरवे पे बिफरी जो हवाएँ हैं
जब रक्त बिकाऊ है,
जब साँस पराए हैं
इनसान के दुश्मन जब इनसान के साए हैं

जब शील के चौरे पर विध्वंस की चीख़ें हैं
जब प्रेम की वेदी पर बलिदान की रीतें हैं
तब साँस घुटी जाती
दिल चोर हुआ जाता
ऐ काश ! कि पाँवों की ज़ंजीर न तुम होतीं
ऐ काश ! अजंता की तस्वीर न तुम होतीं।

अष्टग्रह योग

व्याकुल-निराश जन
बुझी कंदील-से
भाव हैं विरक्ति के
गली, बाज़ार में सूना-सूना मौन है
भय और शंका के स्याह कीड़े
धीरे-धीरे रक्त में रींग रहे
कार-व्यापार सब बंद हैं।
मन का त्रास
मुख की त्वचा पर
गणित के प्रश्नों-सा
लकीरों और झुर्रियों में व्यक्त हो आया है।
 किंतु अनायास ही
 चिर दिन से बिछुड़ी, रूठी प्रेयसी
 अनाहूत बल से
 आज लौट आई है।
अजब संयोग ! क्योंकि अष्टग्रह योग है
ज्योतिषी कहते हैं
भारी अनिष्टकारी है–
भूकंप, अकाल, मौत ही मौत है।
 मौत जब आनी ही होगी
 तब क्या जोखिम है ?
 प्रेम के नीड़ में
 साथ-साथ डरेंगे
 साथ-साथ मरेंगे।

प्रथम हिमपात की अनुभूति

दूर नीचे तक उतरती—
हरित श्यामा शीत माटी,
पेड़, पगडंडी, कटे खेतों से लगकर—
छुटपुटे खपरैल, छप्पर को सँजोए
लेटती थी चिर दिनों से
अनकही,
हत् आस घाटी।
और हम रहते रहे बिन आँख डाले
हरित्माच्छन्न श्याम तन पर
लाख आमंत्रण की भाषा अनसुनी कर !
पर अचानक एक प्रातः देखता हूँ
श्याम गाता कामिनी
कायाकल्प कर
शुभ्र पाँखें खोल बगुली
हिमप्रसूना
कर्पूरी, कोमल,
सलोनी, श्वेतवर्णा—
सो रही है ले हिमानी सेज अपनी
फूल-से सब अंग फैलाए
बिछाए जाल
—कसती जा रही है।

(साप्ताहिक 'धर्मयुग' में प्रकाशित)

गुमशुदा की तलाश

मेरी उम्र 50 साल
रंग साँवला है
क़द पाँच फुट आठ इंच
जिस्म कदरे मोटा है
सिर अधगंजा, बाल अधपके हैं
दाँत लाल हैं
—पान खाता हूँ
जिस्म पर और कोई निशान नहीं पाता हूँ।
लेकिन, क्षमा करें
मैं नहीं खोया
मेरी आदमीयत खो गई है
मैंने कभी उसे अपने से
अलग करके देखा न था
इसलिए उसकी अलग पहचान मेरे पास नहीं
मगर निश्चय ही उसकी
वही अलामतें होंगी जो मेरी हैं।
जिन साहब को भी वह मिले
या दिखाई दे
कृपया पहुँचा दें या इत्तलाअ दें
उसकी उम्र 50 साल
रंग साँवला है,
क़द पाँच फुट आठ इंच
जिस्म कदरे मोटा है।

सावधान ! आप मेरी आदमीयत नहीं लौटाएँगे
तो मैं भी ऐसा ही करूँगा
मैं जानता हूँ कि मैं अकेला नहीं
अधिकांश लोग बिना आदमीयत के
सरे बाज़ार घूमते हैं।

पूरक

घड़ी की दो प्रतिपूरक सूइयाँ
समय की रील के साथ चलती हैं
समयवाहिनी ये परिचायिकाएँ
स्वयं समय के साथ पलती हैं
और
उन्हीं के साथ
एक नन्ही-सी
तेज़ धार सूई
कमज़ोर डैनों पर हाँफती-काँपती
रीतबद्ध
हर समय का हिसाब रखती है
यही सूई
हर पल
हर क्षण
समय के साथ चलती है।

मक्का की खेती पर बाजरा

माननीय एस०डी०एम० ने
उद्घाटन किया मिठाई के एक खोखे का।
खोखा अवैध था
और ख़ालिस व्यावसायिक भी।
इस पर
एक साहब ने क्षुब्ध होकर पूछा–
"यह क्या माजरा है ?"
दूसरे ने समझाया–
"अमाँ ! यही हाकिमी है, रोता है क्या
आगे-आगे देखिए होता है क्या !
क़ानून को उनसे है वफ़ा की उम्मीद
जो नहीं जानते क़ानून क्या है।
यूँ समझ लो कि जिन पे तकिया था
वही पत्ते हवा देने लगे।
और हज़रत ! समझ लो जो माजरा है
मक्का की खेती पर उग रहा बाजरा है।"

जन्मसिद्ध अधिकार

(लोकमान्य तिलक से क्षमायाचना के साथ)

चिड़िया रोज़ प्रभात में उड़कर
ईमान और मेहनत का दाना चुनकर
अपना और बच्चों का पेट भरती है
और सुनते हैं चौपाए सभी
नियम और व्यवस्था के साथ
खाते-पीते
कर्मों का निर्वहन करते हैं
क्या वे सब गुलाम हैं ?
क्या शासन-सत्ता से डरते हैं ?
हमें देखें
हम आज़ाद हैं
न कोई नियम है न पाबंदी है।
चाहे जब नौकरी पे जाएँ,
न जाएँ,
जाकर लौट आएँ और
आकर फिर न जाएँ
दुकान जब से जब तलक चाहें चलाएँ
हमारी मर्ज़ी
भैरवी रात में
दीपक सुबह गाएँ
सरकारी ताक़त से डटकर लूटें
काले धंधे से यश कमाएँ
बिक जाएँ दुश्मन के हाथ
भाई को धर दबाएँ

पड़ोस में हो जाए मौत तो हमारी पेज़ार से
हमारी मर्ज़ी हम हलुआ पकाएँ और खीर खाएँ
अपनी आज़ादी का यही है तौर
यही तरीक़ा है
साठ साल के अरसे में हमने
यही सीखा है।

कोई माई का लाल कहे कि यह ठीक नहीं–
"हज़ूर ! आज़ादी हमारा जन्मसिद्ध अधिकार है
कोई भीख नहीं।"

अपना-अपना भाग्य

एक फिरंतु ज्योतिषी से
मैंने और छिदामी ने
हाथ दिखाकर भाग्य पूछा था।
उसने मुझे बताया–
"क़िस्मत के धनी हो,
बेटी-बेटे होंगे,
सैकड़ों पाओगे हज़ारों गँवाओगे।"
और
छिदामी से कहा–
"कमाने कहीं नहीं जाओगे,
घर बैठे पाओगे और मज़े से खाओगे।"
उस दिन से अपना यह रवैया है
सौ कमाते हैं और हज़ार लगाते हैं
यानी हर बार छिदामी से
नौ सौ उधार उठाते हैं।
जबकि छिदामी मियाँ कहीं नहीं जाते हैं
हमारे ही सूद पर मौज की उड़ाते हैं।

पाप हमारे सिर नहीं

(ईसा मसीह ने हमारे पाप बख़्शवा लिए थे)

पाप हमारा जन्मसिद्ध अधिकार है
क्योंकि हम ईश्वर की नहीं
आदम और हव्वा की संतान हैं
कि जिन्होंने ख़ुद
ईश्वर से छुपकर
पहला पाप किया था और
हमें जन्म दिया था।

सोने पे सुहागा यह कि
हमें पापों की सज़ा भी नहीं मिल सकती
क्योंकि सूली पर लटके हुए
स्वयं यीशु ने
ईश्वर से माफ़ी माँगते हुए
हमारे लिए प्रार्थना की थी–
"हे पिता ! इन्हें क्षमा कर देना
क्योंकि ये नहीं जानते
कि ये क्या कर रहे हैं।"

अंधविश्वासी हम

पहले थे नवग्रह
विज्ञान ने ली करवट
हो गएँ द्वादश।
पूजा हमने उन्हें सदियों से
धूप-दीप-मौली
पत्र-पुष्प-फल
नैवेद्य-अक्षतादि
क्या-क्या नहीं चढ़ाया
अपनी पूजा में
लाखों मन चावल चढ़ा दिया चंद्रमा पर
पर जब मानव चाँद पर पहुँचा
तो न मिला एक भी दाना।
रेंगते रहे हम अंधविश्वास की गलियों में
न अपने वैदिक भूत को कभी समझा
न विज्ञान के वर्तमान को जाना।
सदियों से भ्रमित हमने
फ़कत धर्म से रिश्ता जोड़ लिया
शेष ज्ञान और विज्ञान से
मुँह फेरा
नाता तोड़ लिया।

टूटे-फूटे टुकड़े

ख़ुद साठ बरस के, दुल्हन बीस बरस की
यहाँ ये तरसते, वहाँ वो तरसती
जी तो चाहता है घटा झूम के बरसे
मगर हाल यह है, इक बूँद न बरसती

घुट्टी

रेडियो खोलते ही आवाज़ आई—
“आज सुबह चंडीगढ़ पहुँचने पर
राष्ट्रपति नीलम संजीव रेड्डी का…”
इतना भर सुनते ही लड़का चीख़ा—
“मज़ा आ गया,
हुई चार दिन की छुट्टी।”
या रब्ब ! क्या होगा ऐसे देश का
जिसके पेट में ही है
छुट्टी की घुट्टी !

फ़ितरत

आदमी से आदमी कुछ कह नहीं सकता
इसलिए दुनिया में मिलकर रह नहीं सकता
यूँ बात तो दुनिया जहाँ की हाँक ले
इक तनिक-सी बात लेकिन सह नहीं सकता

मिथ्या

लोग कहते हैं कि
ईश्वर सत्य है, जग मिथ्या है
ईश्वर नहीं दिखता
जग दिखता है
उलट है सब कुछ, फिर भी
नासमझ लोगों के लिए
ग़ालिब यह ख़याल अच्छा है।

तुम

तुम हो
फिर भी तुम कहीं नहीं हो
क्योंकि तुम भ्रम हो।
धर्मभीरुओं के लिए
तुम भगवान हो
मगर महापंडित राहुल सांकृत्यायन के शब्दों में
तुम कुछ और नहीं
मात्र अज्ञान हो।

बारात

दूर-पास के कई लोग
बेतरतीब होकर चल रहे हों
बेतुका नाच,
बेतुका गाना,
एक डग इधर,
दूसरा उधर—
रुक-रुककर धर रहे हों।
ऐसी भीड़
दिन चले या रात
कहलाती है बारात

शादी

गांधीवादी हो, न हो
कहलाएगा कांग्रेसी
अगर पहनता है खादी।
ठीक उसी प्रकार
मेल या बे-मेल
लड़के और लड़की को
एक साथ बाँधना
कहलाती है शादी।

ग्रहण

ग्रहण लगा
कुछ क्षणों के लिए अंधकार हुआ
अख़बारों में छपा
ऐसा बावन वर्ष में एक बार हुआ है।
झूठ, सफ़ेद झूठ
आजकल इसका
एक ही दिन में
बावन बार फेरा होता है–
ग़रीब के घर में
बार-बार अँधेरा होता है।

डंडे और डिस्को

पचास साल पहले डंडे का युग था।
उन दिनों संडे हो या मंडे
पड़ते थे हर ग़लती पर डंडे।
लेकिन उन दिनों
एक बात होती थी मज़े में
शिक्षा जितनी भी होती
उतर जाती थी भेजे में।
आजकल डिस्को का युग है।
लोग कूदकर हट जाते हैं
फ़र्ज़, दया, ममता से दूर
सूटते हैं चैन की चिलम

घर में, टी०वी० पर
बाहर, थिएटर में, देखते हैं फ़िल्म
शिक्षा थिरककर निकल जाती भेजे से।
शिक्षक पढ़ा रहे होते हैं जब स्कूल में
छात्र नाच रहे होते हैं स्विमिंग पूल में।

किन्तु-परन्तुपरक कविताएँ

सुचिता और व्यवस्था जोड़े हाथ खड़ीं
जैसे दोनों शासन की हों बाँदियाँ
मिल न सकी समता, वंचित जाग रहे
बहुत दिनों से नाच रही हैं आँधियाँ

याद

आज जाने क्यों
तुम्हारी याद फिर से आ रही है ?
तप्त, चिंतित मन
तुम्हारी कामना की वेदियों पर
सिर टिकाए
आश्वासन दे तुम्हें बिसरा चुका जब
तब न जाने क्यों किसी अभिसारिका की–
क्षीण डैनों पर लचकती,
चंचला, छाया सरीखी,
गीत लहरी की नई आवाज़ फिर से आ रही है
तब न जाने क्यों तुम्हारी याद फिर से आ रही है।

संताप

दरीचों से झाँकती धूप
रींगकर गहराता अँधेरा
उमड़-घुमड़ छलकते बादल
शरमाता झिझकता कुहासा—
सब परावलंबी हैं
सबकी नियंता डोरी
कहीं न कहीं पीछे बँधी है।
स्वावलंबी है केवल संताप
घुस आता अपने आप—
दीवारों, दरवाज़ों, खिड़कियों
या तैनात पहरेदारों को पछाड़
जकड़ लेता है
इसको, उसको
मन चाहे जिस-जिसको।

खाँसी

***(प्रयास के पंख** में संकलित–1955)*

झुककर झंझा में
इंगित बदलता कोमल वृक्ष,
वैसे आती है खाँसी–
बाल, युवा, वृद्ध
तपदिक के पीले खंखड़ को,
नज़ले, बलग़म की,
सूखी या मन के हलकेपन की–
देख किसी सुंदरी को
ख़रमस्ती से।

किंतु होती है इक खाँसी
इन सबसे निराली
–अंतर से उठता ठकठोरा
ख़लिश हुआ करती है।
फिर आती है जैसे
इक तूफ़ान उठा करता है
अविरल चोटें,
और हठीली मारें,
लोहा पीटा जाता
नए सृजन के लिए नया साँचा बनता है।

अब देखो–
चिमनी के साए में ठकठोरे लगते हैं
ख़लिश उठा करती है गली-सड़ी गलियों में
–फिर इक खाँसी आने वाली है
फिर इक क्रांति आने वाली है।

जीवन : विगत और आगत

(प्रयास के पंख में संकलित–1955)

पहला चित्र

नदी का चौड़ा फैला पाट–
                    विगत जीवन
जहाँ कीचड़, डबर, पानी
कभी फेनिल, कभी मंथर
धुली बालू, स्वर्ण तितलियाँ
रुपहली धूप
श्यामल छाँव
सदा मंथित मगर जो मौन
श्मशानों का टूटा घाट–
                    विगत जीवन।

दूसरा चित्र

शुरू के चार दिन फीके
घुटी रातें
मगर फिर मौन सागर में
छुपी वह लहर यौवन की
उठेगी
चाँद को छूने।
        –'चरण मज़बूत हों तो मौत भी डरती
        जवानी पाँव छूती है।'

पथेरों की बदलती ज़िंदगी
शृंगार की रातें
सृजन के दिन;
तुहिन से आँख को धोती
सुबह की लालिमा उठती
नए बीजों से नव अंकुर
नया जीवन लिए आता।

नया सवेरा

(प्रयास के पंख में संकलित–1955)

पड़ा बिताना जीवन दूर सफ़र-सा !
कुलकती बर्फ़ीली हैं रातें
भीगे कंबल में लिपटा है जीवन
आज मनुज का।

बिस्तर फैलाने को एक बर्थ दरकार
मगर मजबूर सभी हैं
उकड़ूँ-सुकड़ूँ
सिगरेट से सब अटे-सटे बैठे हैं
बनंता कौन किसी का ?
–ऐसा संकीर्ण जीवन है
घुटती रहतीं एक डिब्बे में साँसें,
दहकानी के गाढ़े में छिलता है
कोमल अंग सुनहले सपनों का
थकन मन की बहकाती
और उमसती साँझ उदासी की छाया में
उस पर भीगा कंबल
भारी लगता है
जीवन दूभर है।
कब निकलेगा सूरज
जिसकी दोपहरी में यह कंबल सूखेगा
और उमसती साँझ कभी ढल पाएगी
धुल पाएगा कब तक फीका-फीका-सा
गोरे-गोरे गालों पर फैला कजरा
नई दुलहन की भीत कुँवारी रातों का ?

सागर में चंचल लहरें उठती रहतीं
जीवन को परिवर्तन भाया करता है
जाग चेतना ! जाग, नया सवेरा ला
चलो सृजन के पहिए क्योंकर ठहरे हो।

मुझको मेरे सपने रोज़ जताते हैं–
इस धरती पर नया सवेरा आना है
हरित कोंपलें बगिया में लहराएँगी
धरती गाए, खेत झूमकर नाचेंगे
अब के नंगे बालक झूम ख़ुशी में तब
खलिहानों में धान उड़ाकर गाएँगे
ऊदी-ऊदी
हलकी-फुलकी बदलियाँ
मधुर लय में कोयल गीत सुनाएगी
पुष्पों की मुस्कानें
और भ्रमर गायन
प्रेम लता के डोले दुलहन झूलेगी।

एक बटोही अपनी धुन में मस्त चला
बैलों की घंटी पर गीत सुनाता है–
'नई हवाएँ लिए सवेरा आता है।'

किसी को ढूँडते हैं

सितारे सो गए हैं
चाँद अलसाया
मगर मेरे नयन
अब भी किसी को ढूँडते हैं।

वह गहरा रंग चाहत का
तरल आँखों का नेह-विनिमय
उमड़ते मेघ के वे बल
घुमड़ते प्यार के कुछ स्वर
वो उठना दूर से
आकाश की बाँहों में आ जाना
वो आना, रूठ जाना, मनना
कि मनकर फिर बिगड़ जाना
बिगड़कर फिर सँभलना
फिर नशा बनकर शिराओं में उतर जाना
वह कलियों का चटकना
फूल बन सौरभ लुटा देना
वे सपने सब मिरी नज़रों में अब भी घूमते हैं
मेरे नयना किसी को ढूँडते हैं।

मेरे फूल सारे एक माली ने चुरा डाले
कि धन के देवता पर एक मंदिर में चढ़ा डाले
कि मैं सपनों को लेकर ढह गया हूँ।
वे पत्थर जिनकी ठोकर से मैं बचता आ रहा अब तक
वही पत्थर उठाकर मेरे घर में बरबस बिछा डाले

मुझे अमृत की इच्छा थी
मगर अब पी रहा हूँ मैं गरल के अनगिनत प्याले
लंबे साथ के एहसास अब भी बहक जाते हैं
विषमता के ज़हर को पी के अब भी झूमते हैं
मेरे नयना उसी को ढूँडते हैं।

दो भाव-भंगिमाएँ

सुबह उठकर वो धीरे से जो तुम कुछ मुस्कराती हो
तो लगता है कि फूलों पर बहारें आ गईं घिरकर
तुम्हारे रूप से आशा के सपने यूँ झलकते हैं
कि शबनम में झलकते रंग जैसे फूल कलियों के
वो फैले केश,
अछूती गंध,
आँखों में वह गहरा रंग
अलसाए हुए मदमस्त गोरे फूल जैसे अंग
माथे पर ज़रा-सी फैलती कुमकुम की वो बिंदिया
गोरे गाल पर खिलती हुई वह लाज की सुर्ख़ी
वो होंठों का रसीलापन
तृषा को तृप्त कर जैसे अभी पनघट से लौटी हो।

सुबह का वह नशीलापन
होंटों का रसीलापन
न जाने क्यों मगर हर शाम को सारा बदल जाता
भरी दोपहर में जाने वह ऐसा क्या गुज़र जाता
न जाने कौन-सी बाधा तुमको यूँ सताती है
कि संध्या के घने साए में तुम अवसाद से घिरकर
मुझे तकती हो जैसे मैं कोई झूठा सवेरा हूँ।

प्यार

प्यार की सौ-सौ टाँगें हैं
सौ जंघाओं का यह कीड़ा
धीरे से रेंगकर
दिल या दिमाग़ में
कुंडली मारकर
मेनका के नयन-सा
उतर-उतर जाता है।
प्यार वह भूत है
सीढ़ी-सा चढ़ता कभी
बिल्ली-सा बढ़ता कभी
धूप-सा खिलता है।
पायल की हलकी सुरीली आवाज़-सा
ठेठ दहकानी की रूढ़ हुंकार-सा
उभर-उभर आता है।
प्यार चाहे बिल्ली के पंजों पर बैठ ले
या कि सागर की तरंगों पर ऐंठ ले
प्यार तो प्यार है
जान का आज़ार है
सौ-सौ टाँगों से
हर देश, हर काल में
हर जीव की साँस में
धीरे या वेग से
बैठ-बैठ जाता है।

अप्रिय

कविता क्या कहूँ
कि जब तुम्हें
तृणपात, मेरी बात
—सब कुछ व्यर्थ लगता है
कि जैसे मैं किसी के कान भरने जा रहा हूँ।
न जाने क्यों तुम्हारे भाल पर
छोटे-बड़े बीसियों ये बल
कुलमुलाते हैं कि जैसे मैं सुनाता हूँ
तुम्हारे पाप का कोई कसैला गीत।

फिर
कहूँ भी क्या
कि मैं तुम्हें कुछ बात कहना चाहता हूँ
प्यार की
मनुहार की
सुर बाँसुरी की तान से कुछ दूर हटकर;
या सुकोमल डाल-सी
पतली कमल की नाल-सी
इक नार के हर अंग के लावण्य से
बच-बचाकर;
या सुघड़ शिल्पी की कला सुकुमारियों के
पाँव में बजते सुरीले नुपूरों की
तान से मुँह मोड़कर;
या चाँद से मुख पर सजीले
मद-भरे मृगशावकों-से तेज़, चंचल
बेधते कजरार नयनों पर

झुकी पलकों के हर एक तार की उठती झटकती
हलचलों से आँख मूँदे;
मैं
तुम्हें कुछ बात कहना चाहता हूँ
उन जगहों की
बाज़ुओं की
ईंट-गारे, गाड़ियों, कल-कारख़ानों की
—जहाँ इंसान नव-निर्माण के हेतु
नया बल-शिल्प लेकर काम करता है।
मगर यह बात तुमको क्यों सरेगी
यह गीत तुमको क्यों रुचेगा
तुम्हें तो आदतन हर बात मेरी
व्यर्थ लगती है
कि जैसे मैं किसी के कान भरने जा रहा हूँ !

(मासिक 'कल्पना' में प्रकाशित)

ज़िंदगी

फूल खिलते हैं उन्हें खिलने दो
हँस के कहने दो ज़िंदगी क्या है।
ख़ुशनुमा बादल उभरते हैं, उभरने दो
उनको भी कहने दो ज़िंदगी क्या है।
चाँद निखरता है तो उसको भी निखरने दो
मुस्कराकर कहने दो कि ज़िंदगी क्या है।
    ये खिलना
    ये निखरना
    ये बिखर जाना
    ज़िंदगी के रंग तो हैं, लेकिन
    तस्वीर अधूरी है
    अगर एक अवश आँसू से
    यह न पूछा कि ज़िंदगी क्या है ?

मरने का समय

एक दिन मैं लगा था मरने !
माँ थक-हारकर तभी-तभी सोई थी
चीख़कर रोने लगी
घरवाली फूट पड़ी
बेहोश होने लगी
मोहल्ले के लोग भी जाग-जाग आ गए
मौत के काले बादल दूर-दूर छा गए
कितने ही जतन किए
टोने और टोटके
ढूँड-ढूँड दवा दिए
—लेकिन सब व्यर्थ गया
इतने में मुझे ही
स्वतः कुछ याद आया
—आज जब ज्वर हुआ
फ़ैक्टरी से सीधा मैं घर को भाग आया
कल के खाने को दाल-चावल-आटा नहीं
मेरे मर जाने से किसी को घाटा नहीं
मगर—
एक बात है
जीवन में जब तक पाँव मेरे जमे नहीं
मरने को तब तक मेरे पास समय नहीं।

मेरे बाग़ में साँप

मेरे बाग़ में पेड़ हैं
पौधे हैं
द्रुम, लताएँ हैं—
हरियाली है चहुँ ओर
फूल खिले हैं रंगा-रंग
चम्पा, चमेली
जूही और गुलाब
यदि नहीं है कुछ
तो मात्र व्यवस्था नहीं।

किया था प्रावधान
भोले-भाले पौधों ने
सरकश पौधों को
चुना था व्यवस्था के लिए।

पर हाय रे नियति !
नीयत बदल गई उनकी
सबकी फुनगियों पर
उभर आए हैं साँप के फन
डस रहे हैं सबको
उलीचते हैं हरदम अमरबेल
जो सोख रही है हरियाली
फैला रही है मौत का पीला रंग
मिट रही है हरियाली
लाल गुलाब भी पीला हुआ जाता है।

आस्तीन का साँप

भद्रजन ! कष्ट तो होगा, मगर
आपका और मरा भला इसमें
कि तनिक ध्यान से
दाएँ कि बाएँ
पाँव के पास कि पीछे
आस्तीनों को झाड़कर
अच्छी तरह परखें
कि कहीं कोई विषैला साँप
अपनी घात में छुपकर नहीं बैठा ?
हो अगर तो चीन्ह लो उसको
          कि चीन्हा सर्प मुश्किल ही
          मनुज पर चोट कर सकता।

मौन क्षण

निःशब्द तुम
निःशब्द मैं।
क्योंकि तुम्हें और मुझे प्रतिप्रेम हो गया है
और
कोई क़ैदों
जड़ता की पीठ पर
वज्र-दंड लादे
बढ़ रहा है
गुप-चुप
चुप-चुप
तुम चुप..........

पढ़ा था कहीं—
'प्रथम प्यार के समय
शब्द मौन रहते हैं
मुखरित होती है मूक भाषा नयनों की
पलकें उठती हैं, गिरती हैं
आँखों का काला, नीला रंग
कुछ और घिर आता है,
नमी कुछ और बढ़ जाती है'
चुप-चुप
गुप-चुप
तुम चुप..........

मिलन के क्षणों को
मन चाहा जीने दो
होने दो सभी कुछ
क्योंकि जीवन के सुखद पल
क्षणिक हैं,
एक ही झटके से टूट-टूट जाते हैं
ये सुरमय तंत्री
ये लय बिखर जाती है
इसीलिए
गीत को सामने रख
स्वर से गाना नहीं
पढ़ना है—गुप-चुप
चुप-चुप
तुम चुप, मैं चुप..........

यह सुबह

आज सुबह जब मैं उठा सवेरे
धूप नहीं थी, न था अँधेरा कहीं
इक मोहिनी-सी हवा में घुली हुई थी।
आँगन में हँस रहा था तुलसी का बिरवा
मुँडेर पर चिड़िया चहक रही थी
कहीं से बाँसुरी की मधुर तान उड़ी आती थी
कोई गा रहा था मधुर रागों में।
और बच्चे के मुख पर मैंने देखा
न थी धूप, न रात का अँधेरा था
हँसती हुई आँखें, फूल-से कपोलों पर
जहाँ भी देखा वहीं सवेरा था।
नहीं लगता था कहीं कि धूप फिर से आएगी
नहीं लगता था कहीं कि रात फिर से छाएगी
बस लगता था कि यही सुबह
हर घड़ी-पल के लिए रुक जाएगी।
यह सुबह मेरे ही घर के घेरे में
तुलसी के बिरवे या मुँडेरों पर
चहकती चिड़िया की नन्ही चोंच में
अबोध बालक के कोमल कपोलों पर
ठहर जाए, न जाए कहीं।
यह सुबह हर घड़ी, हर क्षण बरसती ही रहे
गाय के सींगों पर
रहट, नदी की धार पर
पेड़ की फुनगी
धरा की सलवटों पर।

यह सुबह गाढ़े के सूतों पर
बलद की घंटियों में
और पनघट की डगर पर—
मस्त चलती साँवरी की पायलों में।
काश ! कोई इस सुबह के
फूल-से खिलते समय को बाँध लेता
न तपती धूप, ढलते दिन न होती रात अँधियारी
—यह सुबह हर घड़ी हर क्षण
सजग रहती।

आस

परे–
दृष्टि के ओझल पर
जहाँ नभ ले रहा चुंबन धरा का
शाश्वत गति से–
वहाँ
धुँधली लकीरों पर स्याही छा रही है
कि संध्या आ रही है।
अभी एकाध बाक़ी जो किरण
वह डूब जाएगी
छिपेंगी सब अज़ानें
सब ऋचाएँ
बाँग, पूजा, गीत, सरमन
घंटियों की टुनटुनाहट
पींग, पायल
जोगियों,
साधु-फ़कीरों की सदाएँ
और जीता-जागता जीवन
किसी कंदरा गह्वर
या घाटियों में जा छुपेगा
मौन होगा।

मौन हो चाहे अँधेरा हो
चिंता नहीं है।
क्या अँधेरे में सृजन का गीत साथी रुक सकेगा ?
या तमिस्रा का अपावन मौन उसको लील लेगा ?

पूर्व इसके कि अमानुष छा सके
तुम गीत गाओ
स्वर मिलाओ
दूर नभ पर चाँद खिलता आ रहा है
पूर्णिमा से चार दिन बस पूर्व का ही
पूर्णिमा की रात को हम-तुम मिलेंगे

चार दिन के बाद जिसका लोप निश्चित
उस अँधेरे का हमें कुछ ग़म नहीं है।
शबनमी किरणों में हम-तुम फिर मिलेंगे
उस मिलन की आस साथी कम नहीं है।

प्रेरणा

आप और मैंने
यानी हम सबने
उन बंद किवाड़ों को देखा है
जिनके झरोखों से
रौशनी छनकर आती है, मगर
जिनके पार की दुनिया का हमें ठौर नहीं
अनुमान है बस।
अनुमान को आस का जामा देकर
उन बंद किवाड़ों के चलो पास चलें
टोह लगाते हुए कुछ और बढ़ें,
शब्द, छंद, लय यदि हम सबको
और न रोकें तो कुछ और करें।
यह घुटन,
ये कसकती हुई पीड़ाएँ
अब और सहें क्यों, क्यों और डरें ?
यह जो रौशनी हम सबको नज़र आती है
यह जो किरण-सी रोज़ बिखर जाती है
आओ हम सब मिलकर उसके पार चलें—
प्रेरणा की राहें भी हज़ार से कम तो नहीं
दर्पण में मेरी बदसूरती नज़र आई, तो क्या ?
दुनिया में मदनमुख और तो हैं।
आइए, जिस मिट्टी के पुतले हैं हम
(सुनते हैं कि हैं)
उस मिट्टी को उठाकर उस पार चलें।
आप और मैं

यानी हम सब मिलकर
संकल्प करें
शब्द, छंद, लय
यदि हम सबको
और न रोकें तो कुछ और करें।
    यह घुटन, ये कसकती हुई पीड़ाएँ
    अब और सहें क्यों, क्यों और डरें ?
आओ उन बंद किवाड़ों के चलो पार चलें !

□□